OOR WULLIE®

THIS STORY MAY WELL MAKE YOU GREET, THE HISTORY OF WULLIE'S FAMOUS SEAT.

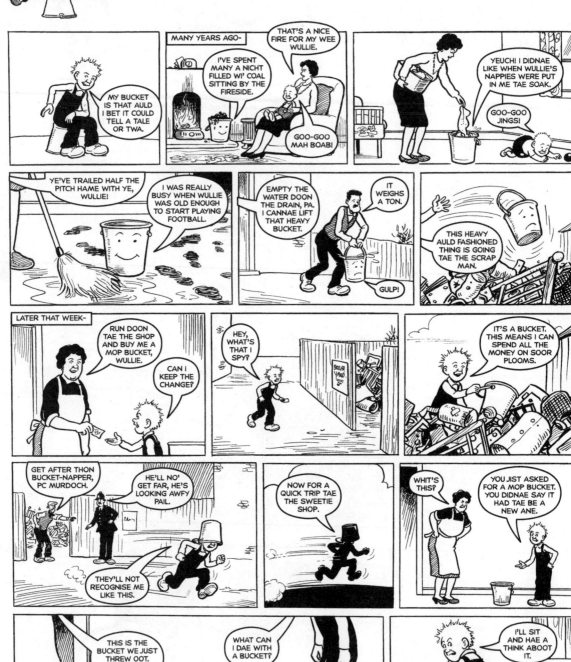

WULLIE HOPES HIS MUSCLES GROW, TAE IMPRESS THE FAIR PRIMROSE.

LUCK MICHT BE ON WULLIE'S SIDE — AS HE AVOIDS A WOULD-BE BRIDE.

JINGS! IT'S VALENTINE'S DAY.

BUT MY HOROSCOPE SAYS IT'S MY LUCKY DAY. I DOUBT THAT.

I'M CLEARING OUT O' HERE BEFORE PRIMROSE COMES ROOND TAE KISS ME.

MICHTY!

TRIP!

OUCH!

CRUNCH!

I THOUGHT YOU BLACK CATS BROUGHT LUCK.

THAT'S SAIR. I'LL HAVE TAE GO SLOW - I CAN HARDLY WALK.

BRAW, HORSE JUMPING!

I'LL SIT AN' WATCH FOR A WHILE.

BUT...

CLUNK!

HOWL!

I THOUGHT HORSESHOES BROUGHT YE LUCK. NO THAT ANE.

OH, YOU POOR THING. I'M A NURSE. LET ME STRAP YOU UP.

SIT QUIETLY FOR A WHILE AND HAVE A DRINK.

IF YE INSIST.

LATER...

WHAT A DAY - I'VE HAD ABSOLUTELY NAE LUCK.

BUT...

WE'VE WAITED ALL AFTERNOON FOR WILLIAM. HE'S NOT COMING.

I KEN THAT VOICE - IT'S PRIMROSE.

AND THIS IS VALENTINE'S DAY ON A LEAP YEAR. I WAS GOING TO ASK WILLIAM TO MARRY ME.

FORGET HIM, PRIMROSE. HE'S NOT WORTH IT.

THIS *WAS* MY LUCKY DAY! IF I HADNAE BEEN HELD UP, I'D BE A MARRIED MAN.

A FLYIN' CARPET, SO THEY SAY —
WULLIE'S HAVIN' A MAGIC DAY!

 HE'S AWA TAE THE PICTURES WI' SOAPY AN' BOAB...

 WHIT A BRAW FILM – IMAGINE FINDIN' A TREASURE CAVE! / AND A GENIE IN A BOTTLE. / AND A MAGIC FLYIN' CARPET!

 HERE – MAYBE THERE'S A WEE GENIE IN MY BOTTLE. / GIE IT A RUB AN' SEE, BOAB.

 COME ON, YE GENIE. / IS ONYTHING HAPPENIN'?

 AYE – NOTHIN'! / YE DIDNAE DAE IT RICHT – GIE ME A SHOTTIE.

 THIS IS ME TELLIN' YE TAE COME OOT, GENIE!

 ACH, YE BRUTE – NAE GENIE, JUST A SOAKIN'! / GLUB!

 MEANWHILE... WHIT A RARE BREEZY DAY FOR CLEANIN' MY RUG.

 TOO BREEZY – MY RUG'S BEATIN' IT OOT O' HERE!

 LOOK! A REAL MAGIC, FLYIN' CARPET. / JINGS! SO IT IS!

 SO... WHAUR'S THE STARTER? / MAYBE YE NEED A KEY? / NAH...

 ...JUST THE MAGIC WORD – ABRABRICHTMOONLICHT NICHT!

 WHIT ARE YE DAEIN' WI' MY GOOD RUG? / HELP! IT'S NO' A GENIE – IT'S JEANNIE WILSON!

 SOON... COUGH! THIS IS NO' FAIR. / THAT'S A' THE DUST FRAE YOUR BOOTS.

 IN HERE – THERE'S SOMETHIN' ELSE NEEDS CLEANIN'. / BET IT'S NO' A MAGIC BOTTLE.

 NO – IT'S A' THESE PLATES. YE MADE A BRAW JOB O' MY GOOD RUG.

 THAT WAS MAGIC!

WULLIE FAILS TAE GET HIS KICKS,
WHEN HE'S PLAYIN' BETWEEN THE STICKS.

WHEN ARMED WI' MA'S BROLLY, THERE'S NAE STOPPIN' OOR WULLIE.

AUCHENSHOOGLE APRIL SHOWER...

I'M AWA OOT TAE PLAY, MA.

YOU'RE NO' GOING OOT IN THAT. YOU'LL GET SOAKED, SILLY BOY.

UNLESS YE TAKE AN UMBRELLA WITH YE.

WHIT? I'LL LOOK LIKE A RICHT SISSY.

LOOK AT WULLIE - SCARED O' A WEE BIT O' WATER.

ARE YE FEART YER PRETTY HAIR GETS WET?

JINGS! SEE WHIT I MEAN.

FIX BAYONETS - CHARGE!

COME BACK, YE COWARDS!

CRIVVENS! PC MURDOCH.

JAB!

I'LL HAE YE FOR ASSAULTING A POLIS BAHOOCHIE!

I HAVE AN ESCAPE PLAN.

WHAUR IS THE WEE DEIL?

HEH-HEH! HE'S GONE.

CAN YOU LEND ME YOUR SKATEBOARD, SOAPY? I'VE GOT TAE REACH HAME BEFORE MURDOCH CLIPES TAE MA.

OKAY, WULLIE.

WHAT A SPEED I'M DOING.

HELP MAH BOAB!

CRASH!

THIS UMBRELLA HAS BEEN A BRAW MACHINE. IT'S GUID AT EVERYTHING.

EXCEPT KEEPING YE DRY!

WULLIE MICHT HAVE TAE CHANGE HIS WAYS — HIS BEHAVIOUR'S NAE ACCEPTABLE NOWADAYS.

WHEN YOU'RE A FRIEND O' WULLIE'S, YOU DINNAE NEED TO FEAR THON BULLIES.

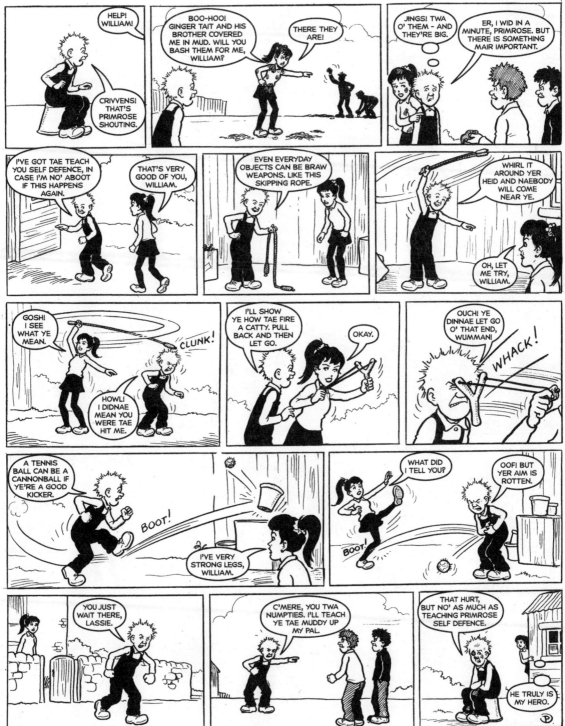

THE MANNIE'S JOURNEY'S NEAR COMPLETED —
BUT IS HE GONNAE BE DEFEATED?

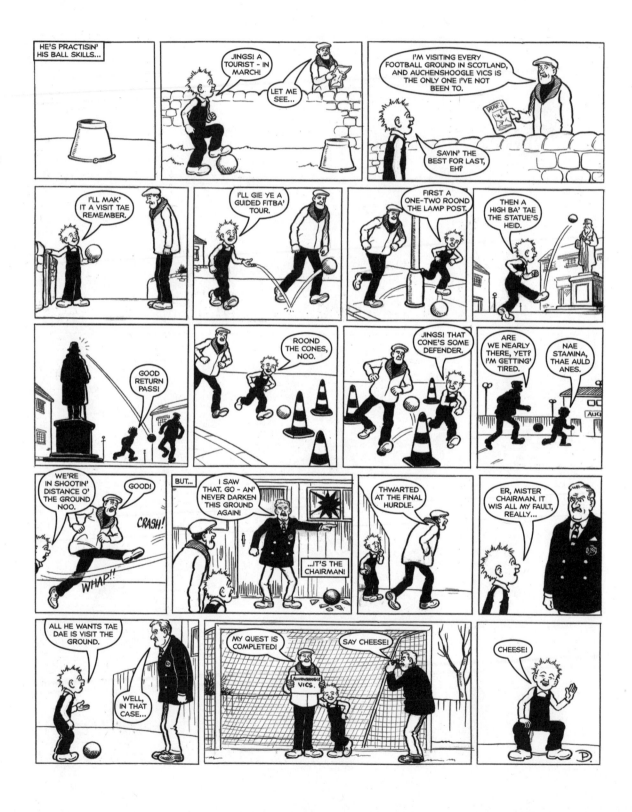

WULLIE THINKS HIS EASTER EGG SHOULD BE SAFE INSIDE HIS SHED.

LET'S HOPE HE DISNAE COME A CROPPER, AUCHENSHOOGLE'S FLYING COPPER.

OOR WULLIE IS IN PURSUIT O' THE NOTORIOUS FRED THE FOOT!

BAD LUCK IS ON WULLIE'S SIDE —
AS THE KITE TAK'S HIM FOR A RIDE.

WULLIE FINDS HIS FITBA IS STUCK —
SOME DAYS YE DINNAE HAVE ONY LUCK.

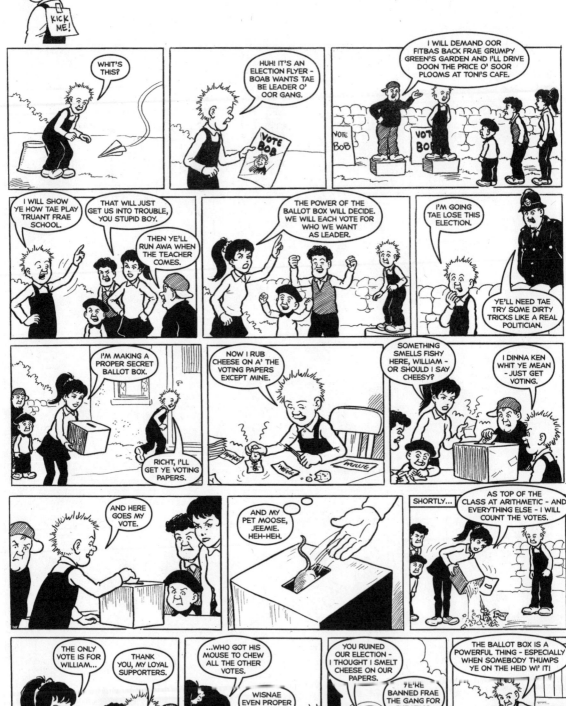

WULLIE DISNAE WANT TAE GO TAE BED —
HE'S STAYIN' UP LATE INSTEAD.

HOORAY! PA'S LOOKING AFTER ME TONIGHT. HE'S A PUSHOVER.

ME AND PA ARE BONDING.

BEDTIME, WULLIE.

BUT THERE'S FITBA COMING ON. LET ME STAY UP TAE SEE THE FIRST GOAL.

OKAY THEN.

TEN MINUTES LATER...

THERE - THE FIRST GOAL HAS BEEN SCORED. AWA TAE BED.

BUT I'D NEVER SLEEP IF UNITED DINNAE EQUALISE. LET ME SEE IF THEY CAN.

TWENTY MINUTES LATER...

MICHTY, IT'S HALF TIME AND YOU'RE STILL UP - GO TAE BED NOW.

OCH!

BUT WE NEED LONGER TAE BOND.

THE FIRST HALF WAS MORE THAN ENOUGH BONDING! BED!

IF ANDY MURRAY WAS MY PA, HE'D LET ME WATCH ALL THE SPORT I WANTED.

ANDY MURRAY

I'M NO' TIRED - I'LL HIT A FEW SHOTS.

AND MURRAY WINS HIS TENTH GRAND SLAM OF THE WEEK.

THUD!

FLUB!

WULLIE, BED!

BUT I'M NO' TIRED.

AND I'VE NO' HAD SUPPER YET.

IT'S TOO LATE TAE EAT ONYTHING - GO TO BED.

IF THAT'S YOU IN THE FRIDGE, YOU'RE IN BIG TROUBLE, LADDIE!

CLINK!

IT COULDNAE HAE BEEN WULLIE - HE'S FAST ASLEEP.

SNORE!

ON SECOND THOUGHTS, I WIDNAE SWAP MY PA FOR ONYBODY. HE'S SO EASY TAE FOOL.

WULLIE!

I KEN YE ARE, BUT IT'S TIME TAE GET OOT YER BED FOR SCHOOL.

WHIT?

I'M IN MY BED, I'M IN MY BED!

GROAN! WISH MA HAD BEEN IN LAST NICHT.

WULLIE'S TRYIN' TAE SAVE HIS MOOSE
FRAE THE CAT AT PRIMROSE'S HOOSE.

OOR WULLIE'S MEDDLIN' WI' WEE ECK'S PEDDLIN'.

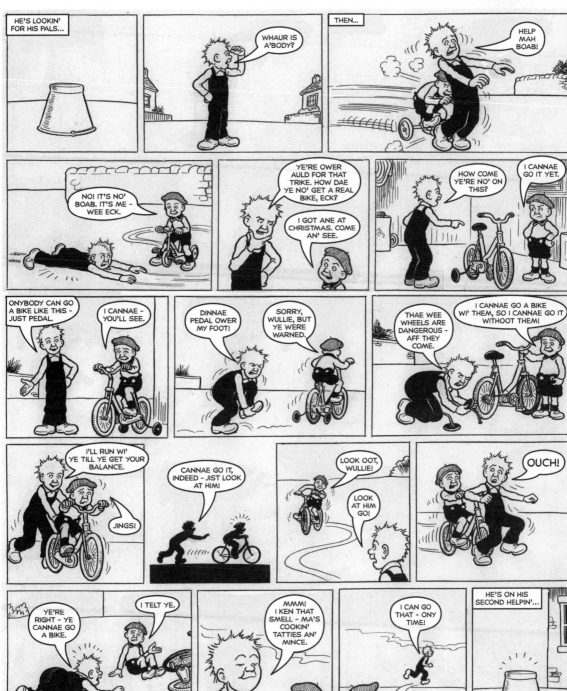

WULLIE LOSES HIS TWENTY PENCE, BUT BEIN' KIND HAS NAE EXPENSE.

PC MURDOCH'S FEELIN' SILLY —
YE'VE TAE BE SLY TAE STEAL FRAE WULLIE.

WULLIE'S AT SCHOOL...

I'M AYE LAST IN BUT FIRST OOT THE SCHOOL.

LOOK AT THE STATE O' YE, LADDIE. HAVE YOU NEVER HEARD O' PERSONAL SECURITY?

NAW, I HUVNAE.

LOOK – ANYONE COULD PICK YOUR POCKET AND PINCH YOUR BELONGINGS...

...AND THROW THEM IN THE BIN.

THAT WAS MY BEST CATTY!

AND THIS JOTTER COULD BE STOLEN FOR YOUR SCHOOLBAG IS NOT FASTENED SECURELY.

THERE – ALL SECURE.

I WANTED IT TAE FALL OOT – IT'S MY HOMEWORK JOTTER.

YOUR VEHICLE IS JUST TIED UP WITH STRING. ANYONE COULD JUMP INTO IT...

...AND DRIVE IT AWAY.

YOU COULDNAE, YE GREAT MUCKLE POLISMAN!

WHOOPS!

NOW I'VE NAE MOTOR!

AYE, WELL – I'LL HELP YE CARRY THE BITS BACK HAME.

YOU'VE GONE AND LEFT YOUR SHED DOOR WIDE OPEN.

THAT'S BECAUSE MA WANTS FOWK TAE COME AND TAK' MY JUNK AWA.

TUT-TUT! I'LL HAE A WORD WITH YOUR MA.

SHE'S NO' IN – BUT SHE'LL HAE LEFT THE KEY FOR ME.

I'LL BET SHE'S LEFT THE KEY UNDER YOUR BUCKET. SUCH DREADFUL SECURITY.

HOWL!

THE KEY IS KEPT SAFE BY MY GUARD MOOSE.

TELL IT TAE PUT ME DOON.

SERVES THE AULD SCUNNER RIGHT.

I MICHT WELL REPORT YE FOR KEEPING A DANGEROUS ANIMAL.

THIS MYSTERY IS REALLY WORTH A LOOK — IT COMES FROM THE PAGES OF A POLIS NOTEBOOK.

IT'S AUCHENSHOOGLE STORYTELLING FESTIVAL.

SO WE HAVE A SPECIAL GUEST TAE TELL US THE STORY THIS WEEK.

MY NAME IS PC MURDOCH AND I'M NO' AN AUTHOR, BUT I HAE SOME GUID STORIES WRITTEN DOON IN MY POLIS NOTEBOOK.

THIS IS THE CASE OF THE DISAPPEARING DAHLIAS.

ONE DAY MR GREEN INFORMED ME OF AN ODD THEFT. FLOOERS HAD GONE MISSING FRAE HIS GREENHOOSE THOUGH THE DOOR WAS LOCKED AND ONLY A WEE WINDAE LEFT OPEN.

REPORTS THEN CAME IN OF A FAST MOVING BUNCH OF FLOOERS BEING SEEN ALL OVER AUCHENSHOOGLE. THE MYSTERY DEEPENED.

A DESCRIPTION OF THE CULPRIT WAS GIVEN TO ME BY A CERTAIN SOAPY SOUTAR. HE DESCRIBED THE THIEF AS BEING SIX FEET TALL WITH BLACK HAIR.

I BORROWED A SPECIALIST POLIS SNIFFER DOG. THE ONLY ANE THAT CAN SNIFF BONNY FLOOERS WITHOOT SNEEZING. SOON WE WERE FOLLOWING THE SCENT.

THE TRAIL LED ME TO A BUCKET THAT WAS HALF FULL OF WATER AND ABANDONED OOTSIDE A COTTAGE. I HAD TAE STOP THE POLIS DOG FRAE DRINKING THE EVIDENCE.

INSIDE THE COTTAGE I FOUND ONLY POOR OLD MRS MACTAGGERT, WHO HAD RECENTLY FALLEN AND BROKEN HER LEG. SHE DID HAVE A WONDERFUL BOUQUET OF DAHLIAS BUT IT WOULD HAVE BEEN IMPOSSIBLE FOR THIS LADY TO HAVE COMMITTED THE CRIME - SINCE SHE HAD A STOOKIE ON.

AFTER A BRAW CUP O' TEA AND FOWER JAMMY DODGERS, I HURRIED OUTSIDE TO EXAMINE THE CLUES. BUT THE BUCKET WAS GONE. WHO ON EARTH WOULD WANT THAT AULD ROOSTY BUCKET? TO THIS DAY THIS MYSTERY CASE HAS NEVER BEEN SOLVED.

ALL WE KNOW ABOUT THE AUCHENSHOOGLE FLOWER THIEF IS THAT THEY MADE ONE OLD LADY VERY HAPPY BEFORE DISAPPEARING INTO THIN AIR.

SUPER STORY, CONSTABLE MURDOCH!

BRAVO! SPLENDID MYSTERY!

MURDOCH'S A FLY GUY. HE KENS FINE I'M SITTING ON THE CLUE! HA! HA!

THE SPECIAL TACKETS, YOU WILL FIND —
ARE ONLY REAL IN WULLIE'S MIND.

WI' POWER COMES GREAT RESPONSIBILITY —
EVEN IF YE'RE SUPER WULLIE.

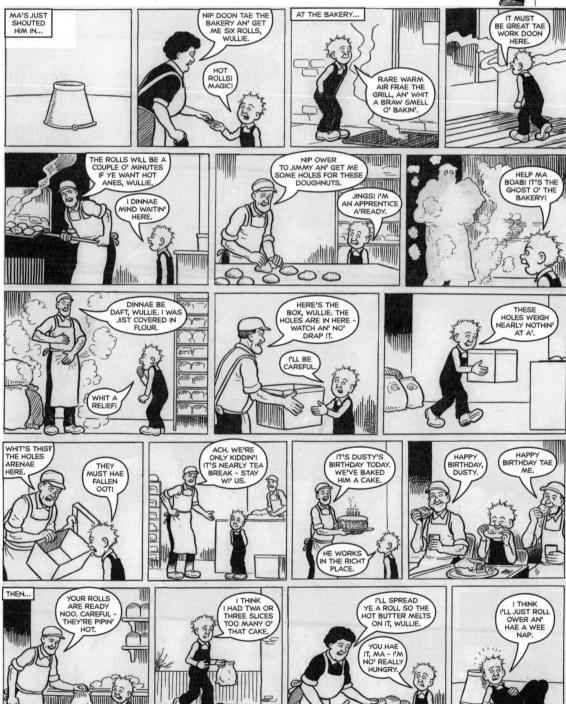

OOR WULLIE TAKES HIS TURN
TRYIN' TAE CROSS STOORIE BURN.

YE WINNAE BELIEVE WHA COMES FIRST PLACE IN AUCHENSHOOGLE'S SPORTS DAY RACE.

IT'S SCHOOL SPORTS DAY TOMORROW.

FOR OUR SPORTS DAY THIS YEAR YOU CAN COMPETE IN YOUR OWN LITTLE TEAMS.

BOAB, SOAPY, ECK - WE'LL BE A TEAM.

NAW, I'M JOINING EVA'S TEAM. YOU'LL WIN NOTHING WI' BOAB IN YOUR TEAM.

DINNA LISTEN TAE HIM, PAL. WE'LL TRAIN TOGETHER AFTER SCHOOL.

LATER...

THIS IS GOOD TRAINING FOR US, SOAPY.

BUT I DINNA THINK IT'S HELPING BOAB MUCH.

I JUST NEED TAE CATCH MY BREATH.

THAT WAS A GUID WORKOOT. SEE YE TOMORROW, WULLIE.

SIGH! WEE ECK IS RIGHT ABOOT BOAB.

LOOKING-A-FORWARD TAE THE SPORTS TOMORROW, WULLIE?

NAW. BOAB'S IN MY TEAM AND HE'S AWFY SLOW.

WHIT? BOAB IS THE-A-FASTEST BOY IN AUCHENSHOOGLE AND I'VE-A-SEEN YE ALL RUN.

YOU'VE MISTAKEN HIM FOR SOMEBODY ELSE, TONI.

AT THE SPORTS DAY...

YAY!

WAHOO! SOAPY'S WON.

ONE NIL TAE OOR TEAM.

NEXT...

WULLIE'S BEEN TRIPPED.

SHOVE

YE CHEATERS!

THE FINAL RACE...

READY, STEADY - GO!

RUN, BOAB!

NAE PRESSURE, BUT IF YOU WIN - THE TEAM WINS!

NOW TAE-A-SWITCH ON MY CHIMES AND PROVE-A-MY POINT.

CHIME!

TONI'S ICE CREAM VAN IS HERE!

ZOOOM!

WE WIN! WE WIN!

WHAUR'S TONI?

NOW DO YOU BELIEVE ME? BOAB'S THE FASTEST BOY IN AUCHENSHOOGLE.

AYE, RUNNING FOR YOUR VAN. HA-HA!

THE CHAMPIONS!

WULLIE WISHES HE HAD STUCK IN WHEN THERE'S SCHOOL PRIZES TAE WIN.

IT'S SCHOOL PRIZE-GIVING TODAY.

YOU HAVE TO LOOK YOUR BEST IN CASE YOU GET A PRIZE, WULLIE.

BRUSH!

OCH, MA!

MAYBE I'LL GET A PRIZE FOR MY RECORD-BREAKING ATTENDANCE.

I'VE BEEN LATE EVERY DAY THIS YEAR.

MA WID BE AWFY PROUD IF I DID WIN A PRIZE.

SNIFF! OH, MY CLEVER WEE LADDIE.

THEY DINNAE HAE PRIZES FOR THE STUFF I'M GUID AT - FISHIN' AND FECHTIN' AND CATCHIN' PUDDOCKS.

TO PRESENT OUR PRIZES TODAY WE HAVE OUR OWN COMMUNITY POLICEMAN, PC MURDOCH.

GROAN! THERE'S NAE CHANCE I'LL WIN ONYTHING NOW.

TOP OF THE CLASS AWARD GOES TO PRIMROSE PATERSON.

THANK YOU ONCE AGAIN, TEACHER.

IF HER HEID GETS ONY BIGGER, SHE'LL FA' OWER.

SPORTS CHAMPION IS BRADLEY NESS.

I'LL CLAP LOUD 'COS I WANT TAE SIGN HIM FOR MY FITBA TEAM.

COOKERY AWARD GOES TO ROBERT!

WE'VE NEVER TASTED HIS COOKIN' - HE EATS IT A' HIMSELF.

I WISH I HAD STUCK IN AND GOT A PRIZE.

THIS YEAR THERE IS A NEW AWARD FOR SCOTS LANGUAGE, AND IT GOES TO...

...WILLIAM!

CRIVVENS! JINGS! HELP MAH BOAB! I DINNA SPEAK THE SCOTS LANGUAGE.

SNAP!

YOU ARE MY CLEVER WEE LADDIE. AT LAST, AN AWARD TAE PUT IN MY CABINET.

OCH, DINNAE FUSS, MA.

I'M GETTING A CELEBRATION DINNER O' MINCE AND TATTIES WI' PEAS.

WULLIE'S GOING TO CAUSE SOME HOOTS, SORTING OUT MR BOSSY BOOTS.

WULLIE TAKS AN AWFY GAMBLE
WHEN SETTIN' OOT ON A COUNTRY RAMBLE.

OOR POOR WEE LADDIE FEELS A FOOL
AFTER HIS VISIT TAE THE ROCK POOL.

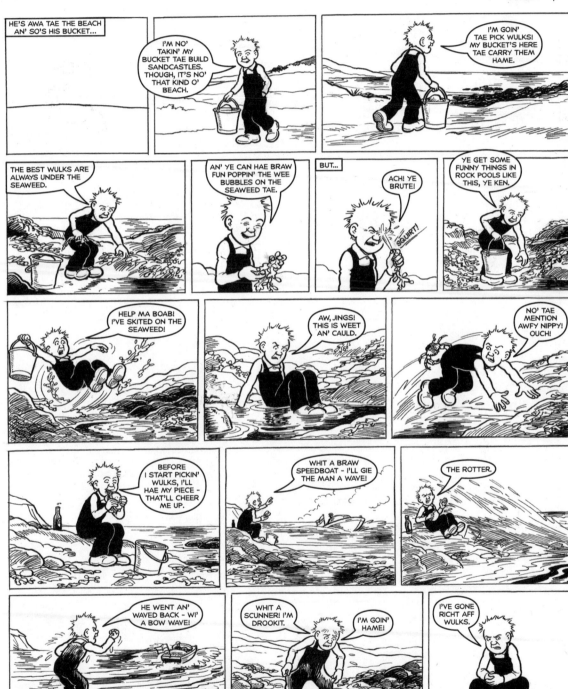

A GALA DAY ARRANGED BY THE BOYS —
BUT THE NEIGHBOURS CANNA STAND THE NOISE.

MA WAS AT THE GALA DAY IN BROUGHTY FERRY – A' THE KIDS HAD A RARE TIME EATIN' ICE CREAM AND LAUGHIN'.

WE'RE GOING TAE ORGANISE OOR AIN GALA DAY.

WHEN WILL IT BE?

TODAY, OF COURSE!

WE NEED FLAGS AND BUNTING, BUT WE DINNAE HAE ONY.

MA'S WASHING WILL DAE FINE.

WHIT DAE WE NEED NEXT?

A MARCHING BAND TAE MARCH UP THE STREET. GALAS AYE HAE THEM.

WE'LL BE A PIPE BAND – SCOTS FOWK AYE LIKE THEM. AN' YE CAN MAKE PLENTY O' NOISE.

GIE IT LALDY, BOYS, TAE GET FOWK INTAE THE PARTY MOOD!

SCREECH!

SKIRL!

SHUT UP, YOUSE! MY WEANS HAD JUST DRAPPED AFF!

SKIRL!

SCREEECH!

SKIRL!!

SCREECH!!

YE'RE SCARING MY DUG!

SKIRL!!

CRACK!!

THAT SCREECHING HAS BURST MY GREENHOUSE WINDAES.

WHAT DAE WE DAE NEXT, WULLIE?

GALAS END WI' A BIG PARADE THROUGH THE TOON.

MY WASHING! WHO DID THIS?

STOP IN THE NAME O' THE LAW!

IS THIS THE PARADE?

COME BACK HERE, YE WEE DEIL!

NAW, NUMPTY! JUST KEEP RUNNING!

HE'S BEEN GROUNDED FOR A WEEK.

ACH! WHIT A TO-DO IN A RENTED CANOE!

HE'S AWA TAE STOORIE POND WI' HIS PALS...

LOOK – A KAYAK FOR HIRE.

IT'S THE ONLY ONE – WE'LL HAE TAE TAKE IT IN TURNS.

ME FIRST!

ON YE GO – THIS SHOULD BE A LAUGH.

OH, JINGS! IT'S MOVIN' AWA FRAE THE BANK!

THERE HE GOES! I KNEW THIS WOULD BE A LAUGH.

HELP! I'M DROONIN'!

JUST STAND UP.

AHEM! I WAS KIDDIN' – I KNEW FINE IT WISNAE DEEP!

YE WERE TRYING TAE GET IN A' WRANG, BOAB.

HOW WOULD YOU DAE IT, SOAPY?

YE'VE TAE SIT ON IT FIRST.

OH, AYE?

AN' THEN YE FALL IN THE POND, IS THAT RICHT?

CRIVVENS!

YOU SHOW US HOW IT'S DONE – YOU THAT'S SAE CLEVER.

OKAY!

YE JUST JUMP IN LIKE THIS!

AW, NO!

WOULD YE LOOK AT THAT? HE CAN DAE IT.

AYE, BUT HE'LL FALL IN WHEN HE TRIES TAE GET OOT O' IT.

NO, I'LL NO!

MICHTY ME! HE WENT RICHT THROUGH THE BOTTOM WHEN HE JUMPED IN!

SOME LAUGH – MY POCKET MONEY'S BEEN STOPPED TAE PAY FOR A NEW BOAT.

WULLIE'S PRACTISIN' THE SKILLS TAE WIN — ONE DAY HE'LL PLAY AT WIMBLEDON.

YE CAN KEEP YOUR SPORTIN' LIFE —
FOR WULLIE IT JUST CAUSES STRIFE.

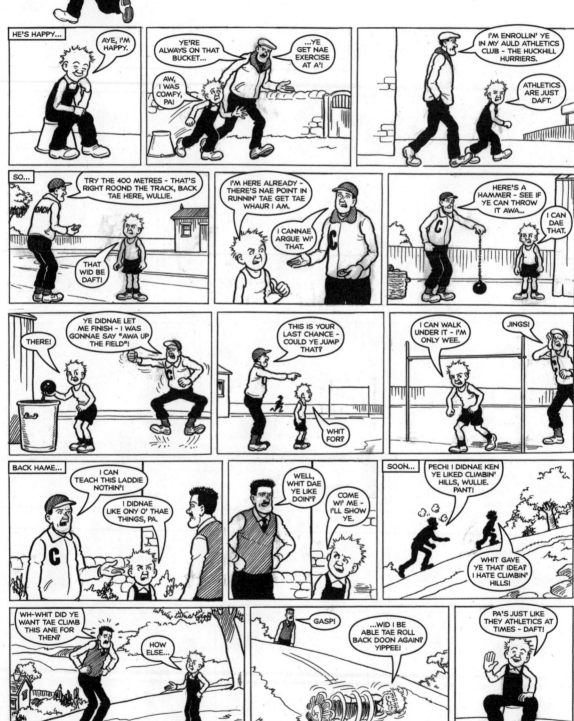

WULLIE'S WORRIED HE'LL BE GLUM,
SPENDIN' A WEEK WI'OOT HIS CHUMS.

WULLIE DOESN'T FEEL THE JOY
WHEN HE BECOMES A MODEL BOY.

A SEAT BY THE POOL WOULD BE RARE — BUT THERE'S NONE GOIN' SPARE.

I'M JUST ROOND AT WULLIE'S HOOSE TAE FEED JEEMY – WULLIE'S AFF TAE ITALY ON HOLIDAY.

CIAO, A'BODY! LOOK AT ITALIA – THERE'S NAE CLOUDS.

IT'S SO WARM YE CAN GO TAE THE BEACH IN THE MORNING.

I'LL GET A SEAT.

BRAW, ONE CHAIR LEFT.

DANKE, MEINE DAME.

WHOOPS!

THUMP!

I DINNA NEED A SEAT, I'M MAKING A SANDCASTLE.

LUNCHTIME...

EAT QUICK AND WE'LL GET A LOUNGER BY THE POOL BEFORE ONYBODY ELSE.

CRIVVENS! YE CANNAE EAT SPAGHETTI QUICK!

SOOK!

OCH! THAT FAMILY HAE LEFT THEIR TOWELS ON THE LOUNGERS TAE BOOK THEM.

NAE SEATS AGAIN.

DISNAE MATTER TO ME. I'M GOING FOR A DOOK.

COME ON IN. IT'S NO' LIKE SWIMMING IN ARBROATH – THE WATER'S WARM!

LATER...

PHEW! I'VE BEEN SWIMMING FOR HOURS. I'LL HAE A SEAT NOW.

I DINNA WANT A LOUNGER – I NEED TAE SEE THE CLEANER.

CAN I BORROW YER BUCKET, PER FAVORE?

SORRY, BUT MY-A-BUCKET IS ALREADY OUT.

HI, THEY CALL ME 'OOR WILHELM'.

GASP!

CAN YE BELIEVE THAT – THERE IS ANOTHER ME!

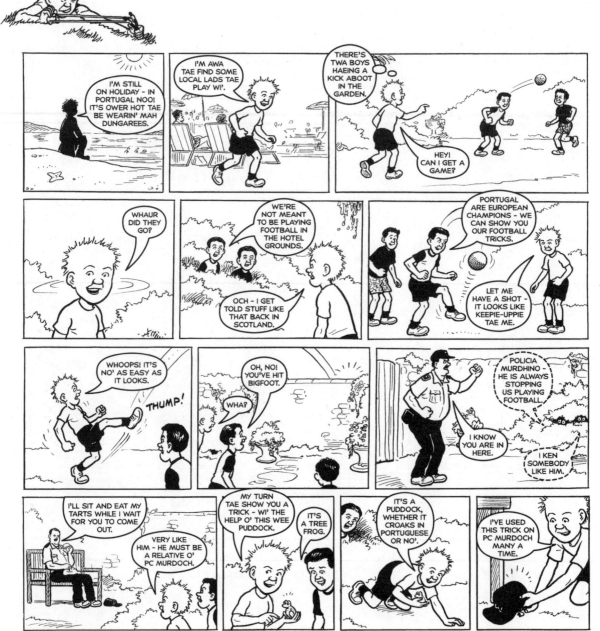

SOUNDS LIKE THESE LADS HAVE LEARNED MORE THAN JUST TRICKS FROM WULLIE!

OOR DUNGAREED PAL IS NOBODY'S FOOL —
BUT CAN HE SNEAK INTAE SCHOOL?

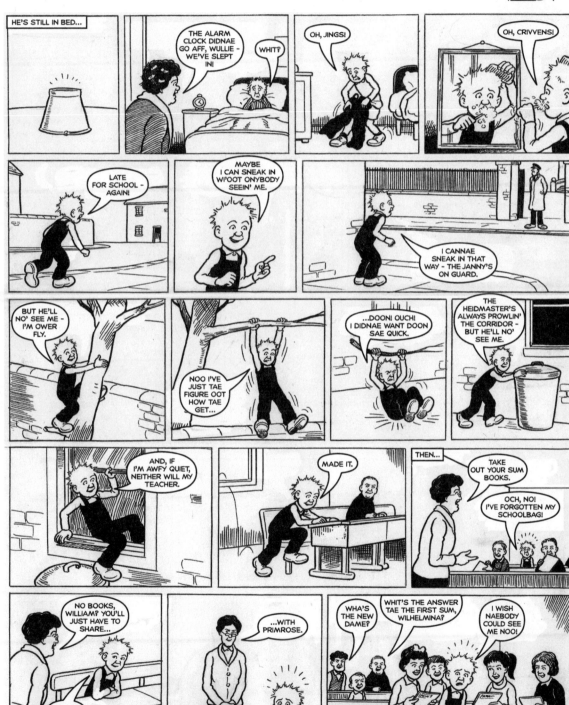

IT'S ROLE PLAYIN' TIME FOR YOU-KNOW-WHO —
HE'S A DETECTIVE WI'OOT A CLUE.

GRUMPY GREEN'S APPLES ARE RIPE — AN' READY FOR OOR WULLIE TAE SWIPE!

WULLIE'S AWA OOT.

BIRD WATCHING?

BIRD WATCHING, EH? THAT'S A GRAND HOBBY, WULLIE.

YES, MR MURDOCH. I'M NO' ANE FOR BEING BAD.

ME? BIRD WATCHIN'? AS IF.

I'M CHECKIN' TAE SEE IF GRUMPY GREEN'S APPLES ARE RIPE YET – AND THEY ARE.

I'VE BEEN PLANNING HOW TAE NICK THESE APPLES THE WHOLE YEAR.

FIRST I GET RID OF THE POLIS.

HE'LL BE AGES CATCHIN' HIS BUNNET.

THEN I SCALE GRUMPY'S WALL.

AND I'LL BE HIGH ENOUGH TAE TAKE THE PICK O' HIS CROP.

THEN INTO MY CARTIE AND AWAY.

HEY, I WANT TO SEE YOU, LADDIE.

CRIVVENS! GRUMPY MUST HAE READ MY THOUGHTS.

I'VE A RECORD CROP OF APPLES THIS YEAR, SO I THOUGHT YE WOULD LIKE SOME.

WHAT'S WRANG? I THOUGHT YE WOULD BE PLEASED.

PLEASED? PLEASED?

YE'VE JUST RUINED MY WHOLE YEAR.

THEY DINNA TASTE THE SAME WHEN YE HAVNAE PLUNDERED THEM.

HOW MANY SHOES
CAN OOR WULLIE LOSE?

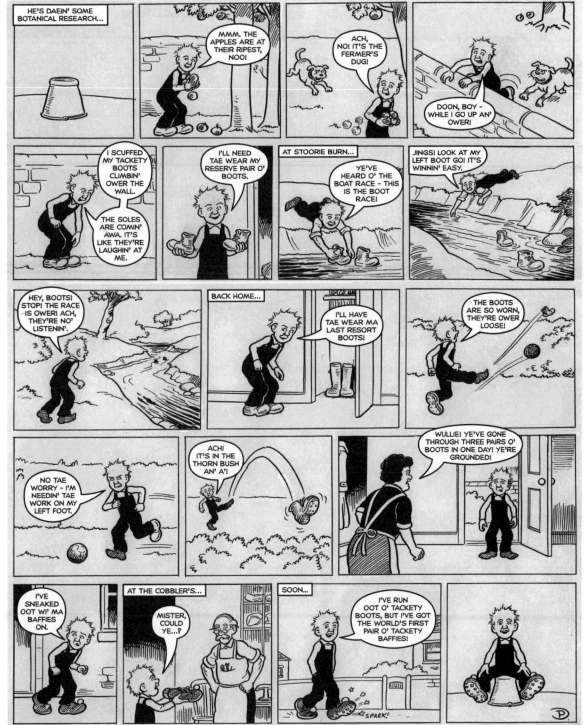

WULLIE DISNAE KEN WHIT'S GOIN' ON WHEN HE FINDS HIS BEST PAL IS GONE.

WULLIE LOSES A BET THAT'S ROPEY —
AN' PLAYS A TRICK ON SNEAKY SOAPY.

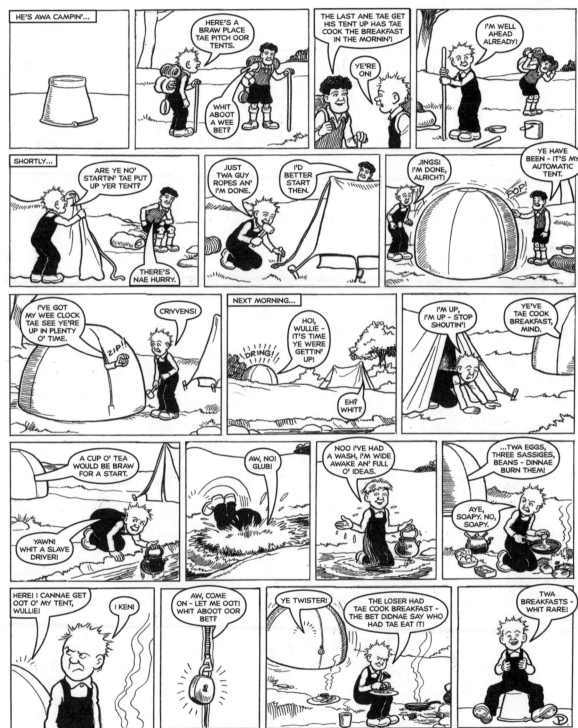

OOR WULLIE TRIES TAE PROVE HE'S CARING
BY TRYIN' HIS BEST AT SHARING.

RUGBY WITH SCOTSMEN, HARD AS NAILS, ENDS IN HOWLS, SQUEALS AND WAILS.

WULLIE FINALLY FINDS SOME PEACE
WI' THE HELP O'AUCHENSHOOGLE'S POLICE.

WULLIE'S FEELING AWFY SMART
FOR ADDIN' A PLATE TAE HIS CART.

THERE'S MR GILCHRIST - HE'S GOT A NEW CAR.

DAE YE LIKE MY PERSONALISED NUMBER, WULLIE?

MICHTY! IT READS SAINTS - THE FITBA TEAM YOU SUPPORT.

WHAT WOULD MY PERSONALISED NUMBER BE? WUL IE? OR HMB I - THAT STANDS FOR HELP MA BOAB.

I KEN - BUK IT. SMART, EH?

WAIT TILL A' MY PALS SEE THIS.

HI, WULLIE. FANCY A GAME OF FITBA LATER?

AYE, OKAY.

CAN YE BELIEVE IT? HE NEVER NOTICED.

LOOK OOT, YE DAFT LASSIE!

HONK!

YE MIGHT HAVE DAMAGED MY NEW NUMBER PLATE.

AND I MIGHT DAMAGE YOUR EAR FOR GIVING ME A FRIGHT.

SHE DIDNAE SPOT MY NEW NUMBER EITHER.

CRIVVENS! PC MURDOCH!

HOWL!

WHO ON EARTH IS THAT?

I'LL LIE FLAT SO HE DISNAE RECOGNISE ME.

BUT SHORTLY...

HERE COMES MURDOCH. JUST STAY COOL, HE DISNAE KEN IT WAS ME.

I'M CHARGING YOU WI' COWPING OWER AN OFFICER O' THE POLIS - NAMELY ME.

BUT HOW DID YE SEE IT WAS ME?

I GOT YOUR NUMBER. NAEBODY ELSE WOULD HAE 'BUK IT'.

JINGS! TRUST HIM TAE NOTICE IT.

NAME, ADDRESS AND WHAUR DAE YE BIDE? I'LL BE ALANG TAE SEE YOUR MOTHER JUST SHORTLY.

AW, NAW.

MA SAYS I'VE TAE SIT ON MY REAL BUCKET AND NO' MOVE A MUSCLE A' DAY.

THERE'S A CAT IN THE HOOSE —
BUT THIS ANE'S FEART O' A MOOSE.

WULLIE SHOULDNAE BE QUICK TAE MOCK AUCHENSHOOGLE'S AIN SHERLOCK.

I'VE NO' SEEN PC MURDOCH THIS WEEK.

HELLO, WULLIE.

OH, HELLO.

WHA'S THAT?

PC MURDOCH?

AYE, IT'S ME. THE AUCHENSHOOGLE POLIS ARE GIVING ME A TRIAL TAE SEE IF I'D MAKE A GUID DETECTIVE.

I'LL GIE HIM SOMETHING TAE DETECT.

I'LL MAKE A CRIME SCENE WI' THIS FAKE BLOOD FRAE MY HALLOWEEN KIT AND PA'S OLD SCARECROW.

SOON...

AYE-AYE - THIS LOOKS LIKE BLOOD.

MICHTY! A BODY - BASHED ON THE HEID WI' A BOWL AND STABBED WI' A SPOON.

I'D SAY IT'S THE WORK O' A 'CEREAL KILLER'. HA-HA!

JUST MIND YOUR STEP, BOY. I'VE GOT MY EYE ON YOU.

I'VE LAUGHED SO MUCH I'M NEEDING A SEAT.

HELP MAH BOAB! MY BUCKET'S BEEN STOLEN.

CAN YOU FIND MY BUCKET, PC MURDOCH?

MY NOSE IS TWITCHING. I SMELL SOMETHING STRANGE...

...AND YOU'RE STANDING IN IT.

HORSE POO - YEUCH!

THERE'S ONE PERSON WI' A HORSE THAT KNOWS YOU HAE A BUCKET.

I HOPE YOU DON'T MIND, WILLIAM, BUT I BORROWED YOUR BUCKET TO WATER PIPPIN. MY ONE HAD A LEAK.

ER, AYE, THAT'S OKAY PRIMROSE.

WID YE CREDIT THAT - YOU SOLVED THE CASE!

ELEMENTARY, MY DEAR WULLIE.

MIND AN' HEED ECK'S WORDS —
DINNAE FEED THE BIRDS.

HE'S AWA TAE THE CHIP SHOP...

TONI'S FISH SUPPERS ARE THE BEST!

AYE!

THOSE GULLS SEEM AWFY INTERESTED IN OOR SUPPERS, DON'T THEY, ECK?

ECK? WHERE'D YE GO?

PSST! I'M HIDIN' – I'M SCARED O' BIG BIRDS!

I COULD BE ROTTEN HERE. IN FACT, I WILL BE!

I'LL CHUCK A CHIP UNDER THE BENCH.

YE SCUNNER, WULLIE!

WULLIE THROWS MAIR CHIPS...

GONNAE NO' DAE THAT?

WAAH! THIS REALLY ISNAE FUNNY!

YE'RE RICHT. THEY'RE BOTHERIN' ME NOO!

WHIT A BRAW LAUGH I'M GETTIN' AT YOU TWA BIRD BRAINS!

I'LL HAE TAE SACRIFICE A BIT O' MY FISH TAE GET US OOT O' THIS PROBLEM!

NAW! NAW! DINNAE COME IN HERE!

GET YOUR BEAKS OOT O' THERE AND CLEAR OFF, YE FEATHERED FIENDS!

HA-HA! THAT SETTLED SOAPY.

NO' HALF!

JINGS! CAN YE BEAT THAT?

WULLIE GIES IT HALF A CHANCE —
AN' TRIES TAE LEARN TAE BALLET DANCE.

HE'S OOT FOR A WALK...

STOMP! STOMP!

WHIT A RACKET COMIN' ALONG THE STREET.

WULLIE! IT'S YOU - YE'RE LIKE AN ELEPHANT.

I'M GOIN' TAE GET YE TAE BE MAIR ELEGANT.

SOME BALLET LESSONS WILL CURE YOUR THUMPIN' ABOOT.

SCHOOL OF BALLET.

AW, MA!

I DINNA THINK I'M GOIN' TAE ENJOY THIS.

GOOD MORNING, WILLIAM. SKIP LIGHTLY OVER TO THE BARS.

MY GOODNESS, WILLIAM. MIND THE FLAIRBOARDS.

THUMP! CLUMP!

IMAGINE YOU'RE WALKIN' ON THIN ICE.

I ALWAYS AM!

OOYAH! THAT ICE I'M IMAGININ' IS MAKIN' MY FEET CAULD.

YOU'RE NOT TAKING THIS SERIOUSLY.

BELINDA!

JINGS! THAT'S BELINDA?

HELP! WHIT ARE YE DOIN'?

CARFUL! DINNA DROP ME!

STOP THE WORLD - I WANT TAE GET AFF!

EVERYTHIN'S SPINNIN' - INCLUDIN' MY EYES!

THAT BALLET STUFF WAS OWER ROUGH FOR ME, MA.

AT LEAST IT'S CURED YOUR THUMPIN' ABOOT!

WULL LOCKS HIS SHED TAE KEEP FOLK OOT —
BUT IT'S WHA HE LOCKS IN HE SHOULD WORRY ABOOT.

MA SENDS WULLIE FOR A TRIM,
BUT HIS HAIRCUT'S AWFY GRIM.

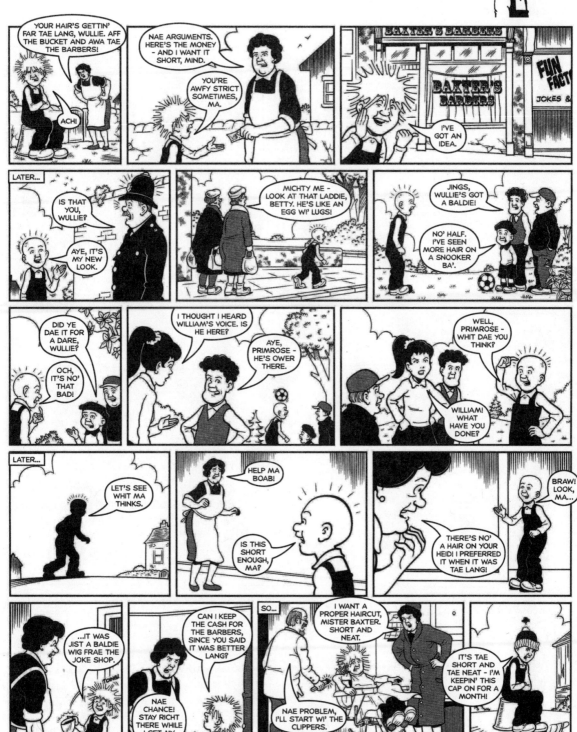

OOR WULLIE'S BEING BOLD, DOING EXACTLY WHAT HE'S TOLD.

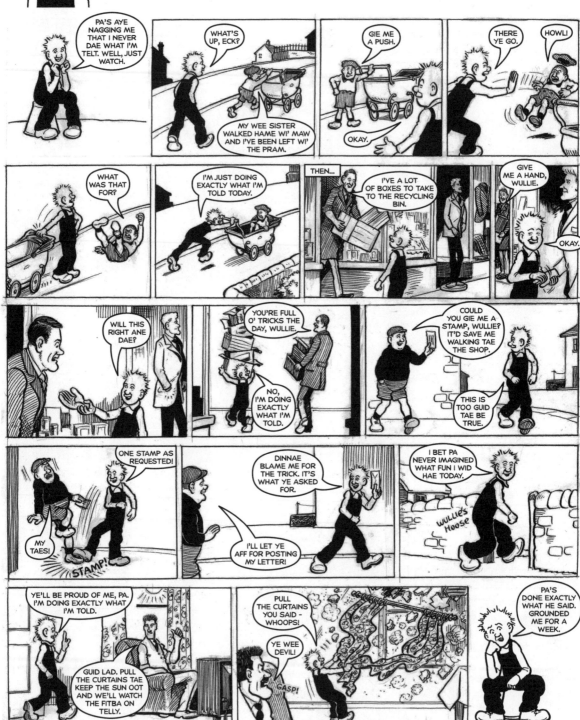

WULLIE'S THE CHAMPION O' GUSTS AN' GALES —
UNTIL THE LEAF BLOWER'S BATTERY FAILS.

IT'S TIME TAE WATCH OOR WEE PEDESTRIAN TURN TAE MATTERS MAIST EQUESTRIAN.

WILL HE KEEP OOT O' TROUBLE WI' THE ROPE — WAS THERE EVER ONY HOPE?

IT DRIVES PC MURDOCH MAD —
WHEN OOR WULLIE ISNAE BAD.

WHAUR'S WULLIE?

GOTCHA!
TWANG!

HALT IN THE NAME O' THE LAW OR I'LL TELL YER MAW!
NAE NEED - I SAW IT ALL.

YOU'RE GETTING TOO OLD FOR A' FECHTING WI' THE POLIS, LADDIE.
YE'LL HAE TAE MEND YOUR WAYS OR YE'LL END UP IN JAIL, WULLIE.

AND YE'LL NO' GET A BUCKET TAE SIT ON IN YER JAIL CELL.
NAE BUCKET?! THAT'S AWFY!

LATER...
GUID AFTERNOON, MR MURDOCH.
GRAB!
CRIVVENS! IT'S WULLIE. I DIDNAE SEE HIM.

HE DIDNAE TRY ONYTHING. SOMETHING'S WRANG.

AHA! CAUGHT WULLIE IN THE ACT O' LETTING MY TYRES DOON.

I SAW YOUR TYRE WAS FLAT, MR MURDOCH, SO I'M PUMPING IT UP.
GASP!

THE WEE DEIL HAS A TIN O' PAINT. I KNOW WHAT HE'S PLANNING WI' THAT.

HE'S GOING TAE BOOBY TRAP MY DOOR.

I THOUGHT THE POLIS STATION DOOR WAS AWFY DULL.
I DINNA BELIEVE THIS!

THIS IS DRIVING ME INSANE!
GNNNNN!
CHEW!

LOOK, HE'S NO LISTENED TAE A THING WE SAID.
IN TROUBLE AGAIN?

HIM BEING GUID TAE ME IS TEN TIMES WORSE THAN HIM BEING BAD. PLEASE JUST LET HIM BE HIS USUAL WILD SELF.
PAT!

YOU HEARD HIM... I'VE A LICENCE TAE KILL HIS POLIS BUNNET.

WILL YE LOOK AT WHO'S READIN' OOT THE NEWS!

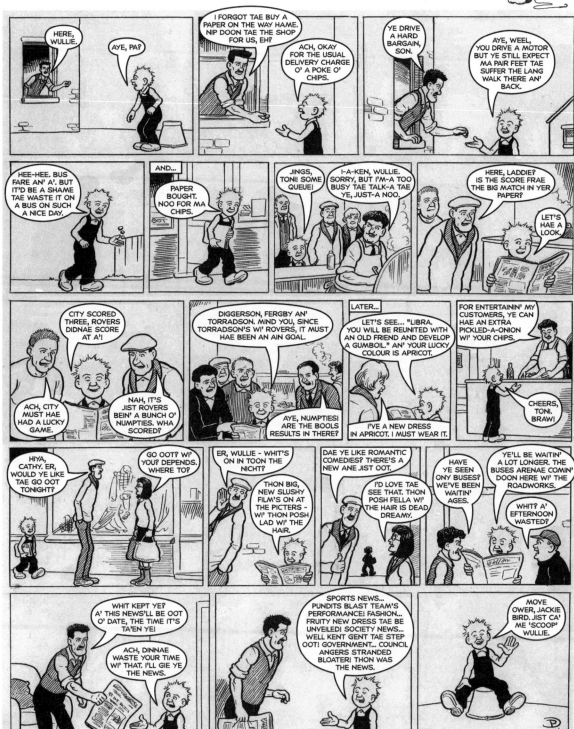

OOR WULLIE'S NO LICKING HIS LIPS
AT THE OFFER O' FISH AN' CHIPS.

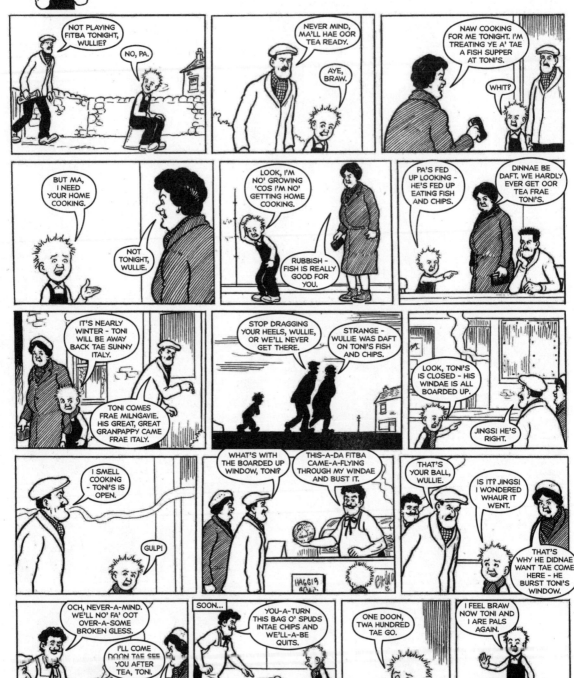

WULLIE SNEAKS OOT AT NIGHT
IN HOPE O' STEALIN' THE SPOTLIGHT.

 HE'S AT SCHOOL...

 D'YE KEN WHY FRENCH FOLK LIKE TAE EAT SNAILS?

THEY DINNA LIKE FAST FOOD.

 DIVERS ALWAYS FALL BACKWARDS OFF THE BOAT, DAE YE KEN WHY?

IF THEY FELL FORWARDS, THEY'D STILL BE IN THE BOAT.

YOU'RE A BRILLIANT COMEDIAN, WULLIE.

 THERE'S A CLUB IN TOON WHAUR YOU GET TEN MINUTES UNDER THE SPOTLIGHT TAE TELL JOKES.

IF THE AUDIENCE LIKE YE, YE MICHT GET YER AIN TV SHOW.

 OCH! IT DISNAE OPEN TIL NINE O'CLOCK.

WE HAE TAE BE IN BED BY HALF PAST EIGHT.

CLOSED

 I'LL SNEAK OOT. YE HAVE TAE TAKE RISKS TAE BECOME A STAR.

 LATER...

NIGHT NIGHT, MA. I'M AWA UP TAE BED.

 SHE'LL NO' GIVE ME A ROW IF I COME HAME FAMOUS.

 I'M HERE TAE TELL JOKES.

KOMEDY CLUB

SORRY, SON - OVER EIGHTEENS ONLY.

 I'M ALMOST NINETEEN.

YOU'RE A COMEDIAN RIGHT ENOUGH - ON YOUR BIKE, LADDIE.

 I'LL GET THE LADDER FRAE MY SHED AND SNEAK IN MY BEDROOM WINDAE.

 THAT SOUNDS LIKE SOMEBODY AT THE SHED.

 JOE, I THINK THERE'S SOMEBODY IN OOR SHED.

STAND BACK - I'LL TAK A LOOK.

 WULLIE!

HI, FOLKS.

 I GOT INTO THE SPOTLIGHT BUT IT WAS NAE JOKE - I'M GROUNDED FOR A WEEK.

IT'S NO' LIKE WULLIE NOT TAE SPEAK —
HIS VOICE IS A' CROAKS AN' CREAKS.

HIYA, WULLIE.

NO' SPEAKIN' TAE ME, EH? DAE YE WANT A SKELP IN THE JAW?

CROAK! CROAK!

OH, I GET IT NOO – YE'VE GOT AN AWFY SAIR THROAT!

I KEN WHIT WOULD CHEER YE UP – A GAME!

CROAK!

WHIT ABOOT LEAPFROG? HA-HA!

CROAK!

OOYAH!

WALLOP!!

HUH! SOME FOWK HAE NAE SENSE O' HUMOUR!

SOON...

JINGS! HERE'S SOAPY COMIN' DOON TOUTIE STREET...

...AN' WEE ECK COMIN' THE OTHER WAY!

AN' HERE'S ME GETTIN' OOT O' THE ROAD!

CRIVVENS! WHIT A PILE-UP!

CRASH!

WULLIE!

SLIP!

YE MUST HAE SEEN THAT!

HOW DID YE NO' TELL US...

...THERE WAS GONNAE BE A SMASH?

NOW WULLIE'S NO' CROAKIN' TAE ONYBODY!

OOR WULLIE FEELS A MUG FOR MINDIN' THIS DUG.

PA HOPES THE FARM WILL BE A TONIC —
AWAY FROM ALL THINGS ELECTRONIC.

I'M GOING TO GIE BOAB A CALL.

ARE YE COMING OWER TAE PLAY, BOAB?

LOOK AT THIS GREAT NEW GAME.

YE HAE TAE ZAP THE ZOMBIES.

CAN I HAE A SHOT EFTER YE?

TCHI LADDIES TODAY SPEND ALL THEIR TIME LOOKING AT SCREENS.

YOU TWA ARE GOING UP TAE HELP JOCK DOW AT HIS FARM. IT'S HARVEST TIME JUST NOW.

OKAY, PA.

THAT'LL TAKE THEIR MINDS AFF COMPUTERS FOR A WHILE.

HI, MR DOW.

COME AWA IN, LADDIES. I'M ABOOT TAE START THE HARVEST.

I'LL JUST CHECK THE WEATHER ON MY MOBILE.

JINGS! YOU USE COMPUTERS TAE.

WE'LL GET THE COMBINE STARTED FOR IT'S GOING TAE STAY FAIR.

WHA'S THIS COMING NOO?

THE COMBINE'S COMPUTER SENT A MESSAGE TAE THE GARAGE COMPUTER SAYING THERE'S A FAULT.

MAIR COMPUTERS ON THE FARM.

WE'LL HAE AN EARLY LUNCH WHILE THE MECHANIC IS WORKING.

I'M FOR THAT.

YUM! YOUR FARMHOUSE COOKING CANNAE BE COMPUTERISED, MRS DOW.

TRUE, WULLIE. BUT I GOT THIS RECIPE ONLINE.

HA! HA! PA COULDNAE BELIEVE HIS EARS.

IF WULLIE'S FINGERS ARE FEELING CAULD, IS THIS A SIGN OF HIM GETTING AULD?

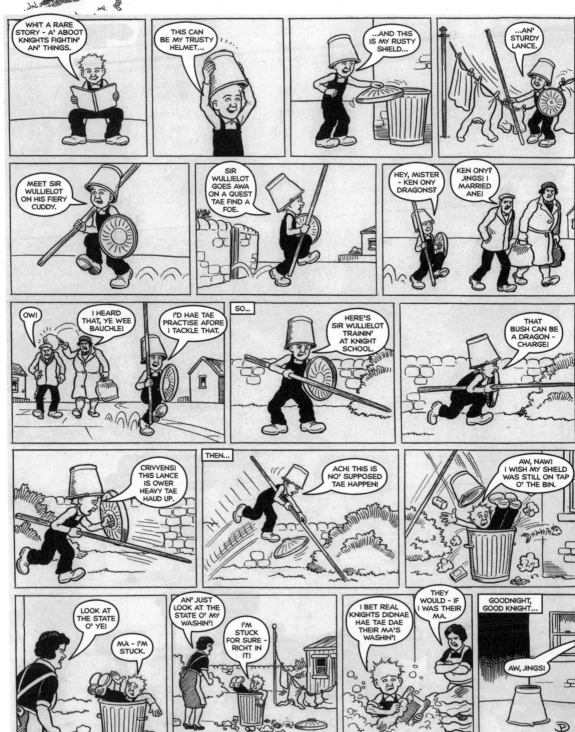

OOR WULLIE'S AYE THE ONE
TAE THINK O' WAYS O' HAVIN' FUN.

WULLIE DISNAE THINK THAT FLOOERS ARE THE BEST FOR BACKACHE CURES.

LEARNIN' AULD CRAFTS GIES WULLIE IDEAS —
HE WANTS TAE LEARN TRICKS FRAE OWER THE YEARS.

WE'RE GETTING A SPECIAL LESSON AT SCHOOL TODAY.

MR HARGREAVES HAS COME ALONG TODAY TO SHOW YOU THE ANCIENT CRAFT OF MAKING HURDLES.

COUNTRYFOLK MADE THE HURDLES BY WEAVING HAZEL STICKS.

OUCH! THIS IS NO' EASY.

WHACK!

THINK ABOUT ANY OLD CRAFTS YOU WOULD LIKE TO REVIVE DURING YOUR LUNCH BREAK.

C'MON, WE'LL REVIVE SOME NAUGHTY CRAFTS.

TELL US ABOOT THE TRICKS YOU USED TAE PLAY WHEN YE WERE OOR AGE, GRANPAW.

JINGS, WULLIE, LET ME THINK. CHICKY MELLY WAS BRAW FUN.

YE FIX A WEE STONE ON A STRING AND SET IT ON A HOOSE DOOR. THEN...

LATER...

WE'LL TRY IT OOT ON GRUMPY GREEN.

TAP! TAP!

HUMPH! NAEBODY THERE.

PULL THE STRING AGAIN, WULLIE.

YE SILLY LADDIES - I REMEMBER CHICKY MELLY. YE SHOULD HAE TRIED YOUR TRICK ON SOMEBODY YOUNGER.

I'VE CALLED PC MURDOCH!

SHORTLY...

OCH, WE WERE ONLY TRYING TAE REVIVE AULD CRAFTS.

YE DINNAE HAE TAE REVIVE THE CRAFT O' BEING NAUGHTY - IT'S NEVER GONE AWA.

YOURS, I BELIEVE, TEACHER.

THANK YOU, OFFICER.

HURDLES WERE USED AS EARLY PENS BY FARMERS, LIKE THE ONE THE BOYS ARE STAYING IN THIS AFTERNOON.

OOR TEACHER IS A RICHT CRAFTY WUMMAN.

D.

SEE WULLIE'S PALS WINCE — HE'S MAKIN' A FILM ABOOT MINCE!

THERE'S NAE FUN AT A' — WI' A HEAVY BOWLIN' BA'.

WULLIE THINKS HE'S GOT A BRAW DEAL, DELIVERING TONI'S MEALS ON WHEELS.

I FANCY A PEA BUSTER.

CAN YOU LEND ME A PEA BUSTER 'TIL I GET MY POCKET MONEY ON SATURDAY?

I-A- NO CAN DO, WULLIE. I'M NEAR GOING OOT-A- THE BUSINESS. NAEBODY IS- A-COMING TAE-A-MAH SHOP.

A'BODY - THEY WANT HOME DELIVERIES NOW.

AHA! IS THAT A FACT?

I'LL DELIVER ORDERS TAE FOWK'S HOOSES ON MAH CARTIE, TONI. IT'LL ONLY COST YE A PEA BUSTER A DAY - I'M AS CHEAP AS CHIPS! HA-HA!

OKAY, WE GIVE-A IT A TRIAL.

TAKE THIS COD SUPPER, SINGLE SAUSAGE, PUDDEN SUPPER, KING RIB SUPPER, AND TWO PORTIONS OF MUSHY PEAS TAE THE SOUTARS IN BRIG STREET.

AND REMEMBER TAE GET-A- THE MONEY FOR THEM.

I'LL GET YE A LOT MORE CUSTOMERS TAE WHEN FOWK SMELL THIS CARTIE GOING DOON THEIR STREET.

SLOW DOON, LADDIE. THERE'S A SPEED LIMIT IN AUCHENSHOOGLE, Y'KEN.

CANNAE SLOW DOON - THIS IS A FAST FOOD DELIVERY.

HOWL!

AWA' AND LEAVE THE DELIVERIES TAE THE PROFESSIONALS, YE WEE SNAIL.

RASP!

STOORIE BURN HAS BURST ITS BANKS, BRIG STREET IS FLOODED.

THAT'S NAE PROBLEM...

...MY CARTIE FLOATS, YE MUG.

YER CHIPPY DELIVERY, MR SOUTAR.

BRILLIANT, WULLIE. WHAT AM I DUE YE?

ER, WEEL, LET ME SEE, ER... I'LL JUST WORK IT OOT ON MY CALCULATOR.

...PLUS A PUDDEN AND MUSHY PEAS... JINGS! THIS IS HARD.

YOU CHARGED HIM TWA POUNDS FORTY?! THAT'S NO' EVEN HALF PRICE. I'M-A-WORSE OFF THAN EVER

CRIVVENS! NAE PEA BUSTER FOR ME.

NEVER MIND HAME DELIVERIES - IT'S HOMEWORK I'M NEEDING. I CANNAE COUNT!

WULLIE GETS NOWT BUT DIRTY LOOKS
WHEN HE'S PUT IN CHARGE OF ALL THE BOOKS.

WULLIE IS AT SCHOOL.

I'VE GOT MAH THUNDERBIRDS COMIC HIDDEN INSIDE THIS HISTORY BOOK.

SINCE YOU LIKE BOOKS SO MUCH, YOU CAN RUN THE CLASS LIBRARY TODAY, WILLIAM.

RIGHTO, TEACHER.

BEATS WORKING.

I'M TAKING OOT THIS BRAW PIRATE BOOK, WULLIE.

NAE CHANCE, SUNSHINE. REMEMBER YOU'RE PLAYING IN MY FITBA TEAM THIS WEEKEND.

YOU'RE TAKING THIS FITNESS MANUAL.

BUT I DINNA WANT THAT.

HAVE YOU GOT THE NEW STAR WARS BOOK?

AYE, BUT I'M KEEPING IT FOR MYSEL'. NEXT!

I'M SO PLEASED TO HAVE FOUND THIS ROMANTIC BOOK.

THAT'S A LASSIE'S BOOK.

BUT I AM A GIRL, WILLIAM. I COULD BE YOUR GIRL, WILLIAM.

NAE SOPPY STUFF. TAKE THIS COMMANDO COMIC.

STUPID BOY – I DON'T WANT THIS.

WULLIE'S GETTING TOO BIG FOR HIS BOOTS.

HE'S GOT TO GO!

I KEN WHIT TAE DAE.

I WANT A BOOK FROM A HIGH SHELF.

GET IT YERSEL' THEN.

WOOPS!

WAR AND PEACE

THUD!

OUCH!

SERVES YOU RIGHT.

HUH! THEY DIDNAE WANT ME AS LIBRARIAN...

...THEY FLUNG THE BOOK AT ME!

WULLIE'S BEING NICE TAE MA
IN HOPES HE GETS TAE THE CINEMA.

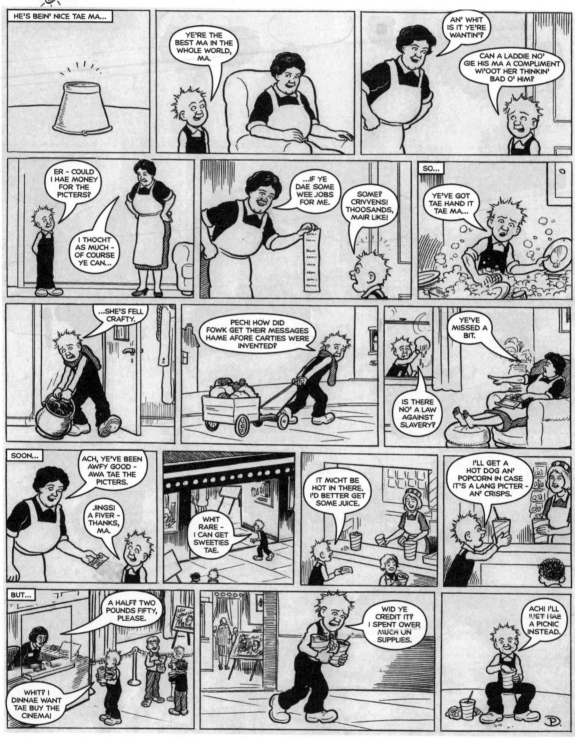

FACE PAINT IS AYE BRAW FUN — UNTIL THE COLOURS START TAE RUN.

I'M OFF TAE BOAB'S HOOSE WI' THIS FACE PAINT I BOUGHT FRAE THE HALLOWEEN SHOP.

AT BOAB'S...
LET'S GET STARTED, WULLIE.
ALRIGHT, BOAB. NAE SNEEZIN', MIND.

ARE YE NEARLY DONE YET?
JUST A WEE BIT MAIR.

JINGS! YE MAKE A GOOD TIGER, WULLIE.
THANKS, BOAB THE BEAR - YOU LOOK BRAW TAE.

WE CANNAE LET THIS GAE TAE WASTE. TIME FOR SOME PRANKS!

TSK! LOOK AT A' THAT LITTER. AN' THE WEATHER FORECAST WAS WRANG - IT'S TOO HOT THE DAY.

MICHTY ME! WILD BEASTIES!
ROAR! ROAR!

YOU WEE SCUNNERS, I'LL BE TALKIN' TAE YOUR PARENTS ABOOT THIS OUTRAGE!

LATER...
WE'RE NO' FAR FRAE BASHER MCKENZIE'S HOOSE - WE COULD PRANK HIM AN' A'. COME ON, WE CAN HIDE IN THAT PIPE.

JINGS, IT'S AWFY WARM IN HERE.
AYE, I FEEL LIKE I'M MELTIN'!

UH-OH!

HERE HE COMES, BOAB. READY?
AYE - LET'S GET THE BIG BULLY!

WHIT ARE YOU IDJITS PLAYIN' AT?
ROAR!

CRIVVENS! OOR FACE PAINT'S RUN AFF! I SAID IT WAS TAE WARM IN THAT PIPE.
NAE WONDER BASHER WISNAE SCARED!

I'LL GET YE! NAEBODY PRANKS BASHER!

HELP! BEARS CANNAE RUN TAE FAST.

MICHTY, I'M FAIR PUGGLED. AT LEAST WE GOT AWA FRAE BASHER, AN' THERE'S STILL PLENTY PAINT LEFT FOR TOMORROW.

WULLIE'S MA IS GOING TAE EXPLODE AT HOW LATE HE IS COMING UP THE ROAD.

IT'S HALLOWEEN.

THOUSANDS OF BRAVE SCOTS SOLDIERS LOST THEIR LIFE IN THE FIRST WORLD WAR.

THE BATTLE OF LOOS

THIS IS AN AWFY GOOD LESSON ABOOT THE BATTLE OF LOOS.

NO HOMEWORK TONIGHT AS I'M SURE YOU'LL ALL BE HAVING HALLOWEEN FUN.

JINGS! THANKS, MRS RIGBY.

LET'S DRESS UP AS FIRST WORLD WAR SOJERS TAE GO GUISIN' THE NICHT.

AYE, THAT WID SCARE SOME FOWK.

IT'S NO' SAFE FOR YOU TWA TO BE TRAILING AWAY AT NICHT.

DON'T GO FURTHER THAN MRS DOIG'S HOOSE ON THE CORNER.

WE'LL GO TAE THE HAME FOR AULD SOJERS ON POWRIE BRAE.

BUT THAT'S RICHT ACROSS THE TOON. YOUR MA'LL SKIN US IF SHE FINDS OOT.

TWA GUISERS REPORTING FOR DUTY, MISTER.

COME AWA IN, LADS. WE'RE A' SOJERS IN HERE.

IT'S A LONG WAY TAE TIPPERARY... IT'S A LONG WAY TO GO...

MARCH!

WHEN THE WHISTLE BLEW THE BLACK WATCH WENT UP AND OWER THE TRENCHES.

WHISTLE!

KEEP YER HEID DOON, WULLIE.

WULLIE, IT'S NEARLY TEN O' CLOCK.

CRIVVENS! AND WE'VE STILL TAE WALK HAME. MA'LL GO NUTS.

WHAT'S THE MATTER, LADDIES?

MY MA DISNAE THINK IT'S SAFE FOR US TAE BE WALKIN' THROUGH THE TOON THIS LATE.

AT LAST! I'VE BEEN OOT LOOKING FOR YE THIS LAST HOUR. ANYTHING COULD HAE HAPPENED TAE YOU.

DINNA FASH YERSEL, LASSIE. THEY'RE BAITH PRESENT AND CORRECT.

IT'S OOR FAULT WE DINNA MARCH AS FAST AS WE ONCE DID.

WE GOT AN ARMY ESCORT HAME, MA.

WELL, I NEVER!

WE'VE JUST BEEN GROUNDED FOR A DAY.

THAT'LL GIVE US TIME TAE EAT A' THE GOODIES WE GOT.

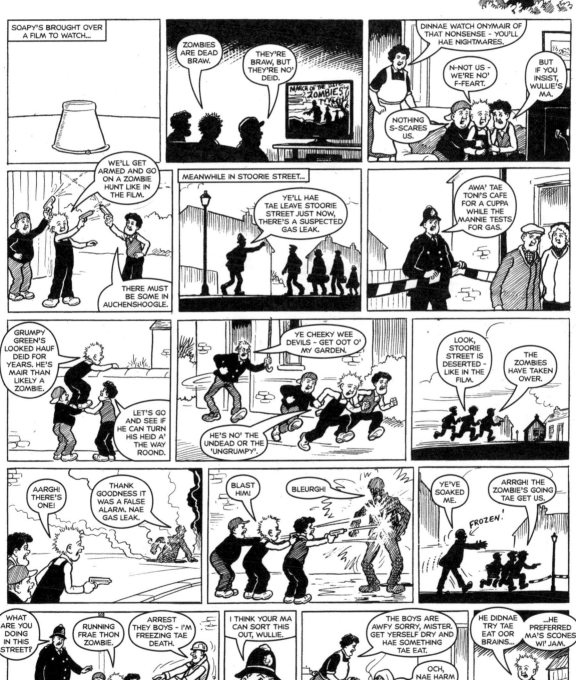

YE MIGHT THINK OOR LADDIE'S BONKERS —
WI' HIS PLAN TAE GET CONKERS.

WULLIE'S BUCKET WILL NOT DO
WHEN MA BRINGS ROOND MISS PETTIGREW.

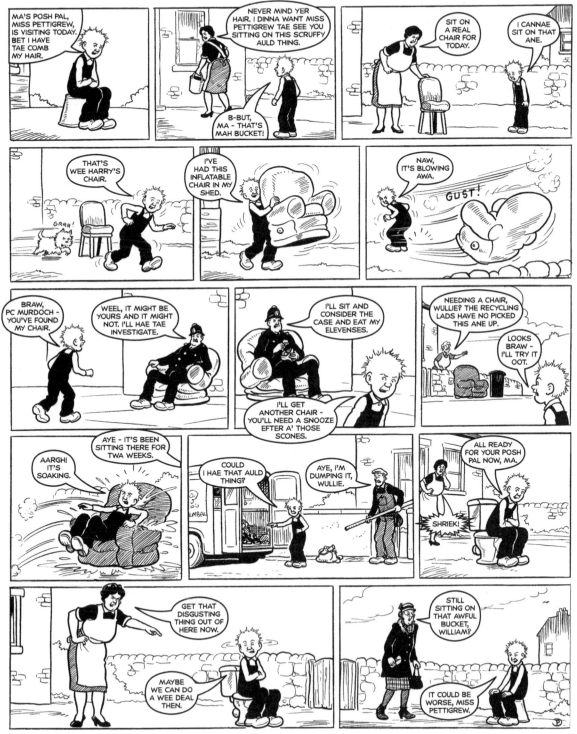

THE LADS ARE FAR FRAE BEIN' ENTHRALLED AT GETTIN' WRAPPED UP AGAINST THE CAULD.

THIS LUCKY BAG'S NO' FULL O' SWEETS —
IT'S GOT A' DIFFERENT KINDS O' TREATS.

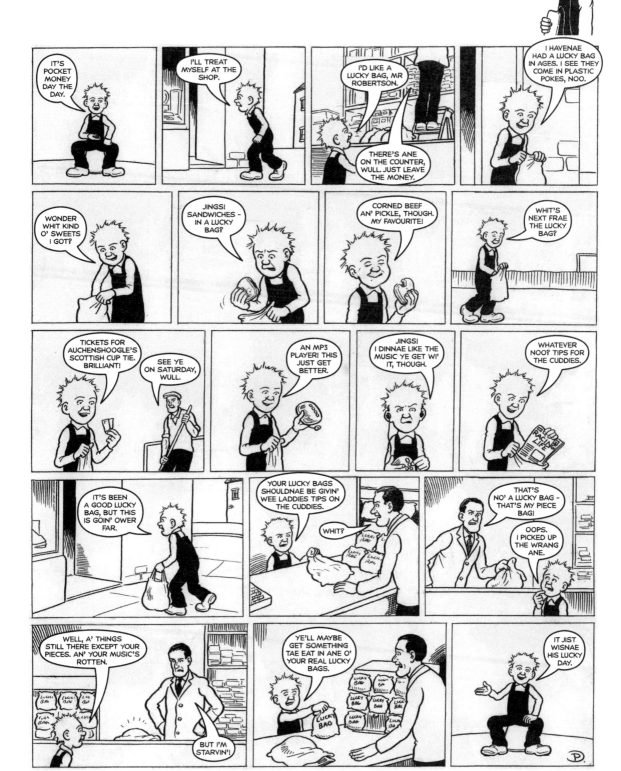

WULLIE FINDS THE ADVENTURE HE SEEKS, IN THE PROSE OF SCOTTISH BOOK WEEK.

BEIN' A TOUR GUIDE'S AWFY BRAW – UNLESS YE GIE A' YER SECRETS AWA!

WHEN BONFIRE NICHT GOES OOT IN A FIZZ, WULLIE'S GLAD BRAINY'S A TECHNOLOGY WHIZZ.

IT'S NEARLY BONFIRE NIGHT.

MICHTY! WHAT'S BRAINY UP TAE?

I'M SETTING UP MY VIRTUAL BONFIRE AND FIREWORKS FOR TONIGHT.

MOTHER SAYS REAL FIREWORKS ARE NOISY AND DANGEROUS.

THAT'S A SHAME.

I LIKE TAE FEEL THE HEAT AND SMELL THE SMELLS O' A REAL BONFIRE AND FIREWORKS.

THE COONCIL WID CLOSE MY SHOP IF I SOLD YE ONY FIREWORKS, WULLIE. YOU HAE TAE BE OWER EIGHTEEN.

OCH! STUPID COUNCIL.

I'VE NAE FIREWORKS.

DINNA WORRY, SON. WE'RE GOING TAE HAVE OOR AIN FIREWORKS AND BONFIRE.

HERE'S SOME I BOUGHT EARLIER.

IT'S GETTIN' DARK, PA. WHAUR'S THE BONFIRE? WE'LL NEED TAE LIGHT IT SOON.

OK, WULLIE.

I'M GOING TAE BURN UP THIS AULD EYESORE O' A SHED OF YOURS. IT'LL GIE US A BRAW BLAZE.

YE TWISTER - YOU'VE BEEN WANTING RID O' IT FOR YEARS.

HELLO, IS THAT AUCHENSHOOGLE COONCIL?

YOU CANNOT HAVE A BONFIRE HERE. IT'S AGAINST AUCHENSHOOGLE BY-LAWS.

WHIT?

COUNCILS ARE GUID SOMETIMES. TEE-HEE!

I'M AWAY BEFORE PA FINDS OOT IT WAS ME THAT REPORTED HIM.

I'VE BROUGHT MY OWN SEAT, BRAINY. WHEN DOES THE SHOW START?

BRAINY'S MA MADE TOFFEE APPLES AND THEY'RE REAL ENOUGH.

WULLIE THINKS IT'S AWFY BRAW,
WHEN HE FINDS HIS OWN SUPPY OF SNAW.

WINTER TIME IS REALLY BRAW
FOR BUILDIN' PALS MADE O' SNAW.

IS IT TOO COLD FOR THE PUIR WEE SOUL?

WHAT ARE WE DAEING INSIDE WHEN THERE'S A SNAWMAN TAE BE MADE OUTSIDE?

THERE'S NO' ENOUGH SNAW, WULLIE.

IT'S JUST A FEW FLAKES.

AYE THERE IS - LOOK.

WHO IS THAT FOR - JEEMY YER MOOSE?

THE SNAW IS ONLY ON THE HILLS, BOYS.

IF THE SNAW ISNAE COMING TAE US THEN WE'LL GO TAE IT.

WE'LL BE THE FIRST BOYS IN THE TOON TAE HAVE A SNAWMAN.

YE'RE AFF YER HEIDS.

PHEW! I SHOULDNAE HAVE HAD FOWER SAUSAGES FOR MY BREAKFAST.

WE'LL SOON BE THERE.

FOWK BACK HAME WILL NO' BELIEVE WE'VE DONE THIS.

THEY WILL IF WE BUILD A SNAWMAN AND TAKE HIM HAME.

THAT'S US FINISHED.

NAW IT ISNAE. WE'VE NO' HAD A SNAWBA' FECHT YET.

I'LL GET YE FOR THAT!

HAE ONE O' MINE!

JUST CHECKING THE HILL ROADS ARE ALL PASSABLE.

HELP, POLIS! OH, I AM THE POLIS.

POLICE

ONE SNAWBA' FECHT LATER...

I DON'T SUPPOSE YE'VE SEEN A RUNAWAY SNAWMAN, PC MURDOCH?

POLICE

I ARRESTED ONE THIS MORNING FOR ASSAULTING A POLIS OFFICER.

LET HIM OOT, YE ROTTER - HE'LL MELT IN THERE.

EFTER A' THAT WE'RE OUTSIDE AND THE SNAWMAN IS INSIDE. IT'S JUST NO' FAIR.

HE'S JUST GETTING' UP...

OH, BOY - SNA'!

WHIT'S IT TAE BE - A SNAWMAN, SLEDGIN' OR SNA'BA'S?

FIRST YE'LL EAT BREAKFAST.

THE SNAW COULD BE MELTED BY THEN, MA!

THEN YE CAN DAE ONYTHING YE LIKE...

TA, MA.

SLURP! CHOMP!

...AFTER YE CLEAR THE PATH.

WHIT?

SO...

ACH! I'LL HURRY UP AN' FINISH THIS QUICK!

SOON...

A' DONE - NOO I'LL GO SLEDGIN' DOON STOORIE BRAE.

THE SNAW'S DEEP UP HERE. ON SECOND THOUGHTS, I'LL MAK' SNAWBA'S.

ON THIRD THOUGHTS, I'LL MAK' A SNAWMAN.

HELP MA BOAB! THE BODY'S AWA'!

NO' TAE WORRY - I'LL HEAD IT AFF AT THE PASS!

IN FACT, I'LL PASS IT AN' HEAD IT AFF.

PC MURDOCH COULDNAE DAE THIS BETTER.

FLUMP!

I THOUGHT I TELT YE TAE CLEAR THE PATH FIRST?

B-B-BUT...

ACH! MITHERS TAKE A' THE FUN OOT O' SNAW!

D.

WULLIE THINKS YE CANNAE BE WI'OOT A REAL CHRISTMAS TREE.

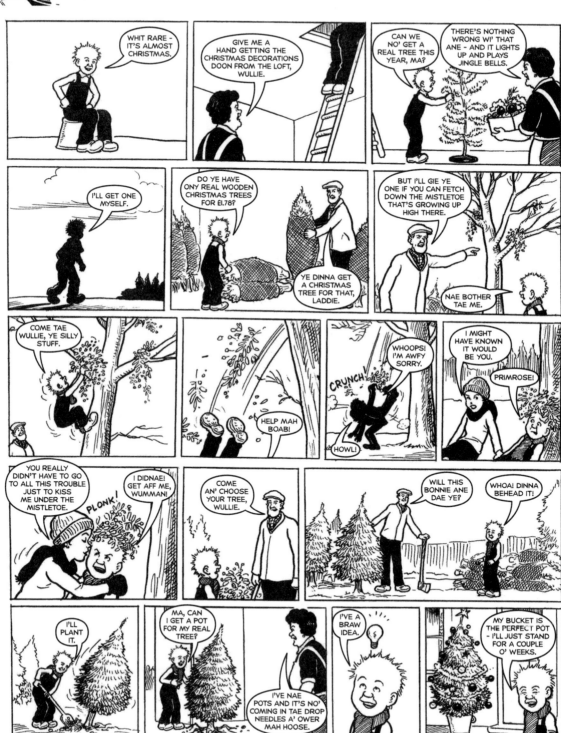

WULL DISNAE NEED A MAGIC SPELL TAE BE KIND THIS NOËL.

AUCHENSHOOGLE'S NEW TOUR GUIDE TAKES A GUEST FOR A RIDE.

WULL HAS FUN THE AULD FASHIONED WAY
WHEN THE LICHTS GO OOT ON CHRISTMAS DAY.